Liens Internet

Il n'est pas nécessaire d'avoir un ordinateur pour utiliser ce livre, grâce auquel tu pourras te renseigner sur les chevaliers. Cependant, si tu as accès à Internet, tu peux en savoir plus en visitant les sites Web qui sont décrits tout le long. Pour cela, rends-toi sur notre site Quicklinks **www.usborne-quicklinks.com/fr** où tu trouveras un lien direct à chaque site. Tu pourras ainsi, par exemple :

• te documenter sur l'adoubement du chevalier,

• lire des légendes et histoires médiévales,

• te renseigner sur les armoiries,

• en savoir plus sur les croisades.

La sécurité sur Internet

Lorsque tu utilises Internet, respecte bien les précautions suivantes :

• Demande la permission à tes parents avant de te connecter.

• Si tu écris un message sur le livre d'or ou la page messages d'un site Web, ne divulgue aucune information personnelle comme ton adresse, ton numéro de téléphone ou ton nom, et demande à un adulte si tu peux donner ton adresse électronique.

• Si un site te demande de t'inscrire avant de te connecter en tapant ton nom ou ton adresse électronique, demande d'abord la permission à un adulte.

• Si tu reçois un message électronique de provenance inconnue, parles-en à un adulte avant d'y répondre.

• N'accepte jamais de rencontrer une personne que tu ne connais que par Internet.

La disponibilité des sites

Parfois, un message apparaît à l'écran t'indiquant que le site recherché n'est pas disponible pour l'instant. Il se peut que ce soit une inaccessibilité provisoire et il suffit de réessayer un peu plus tard.

Si un site n'est plus accessible, nous le remplacerons, si possible, par un autre site. Tu trouveras la liste des sites mise à jour sur le site Quicklinks d'Usborne.

Les images téléchargeables

Certaines images du livre (indiquées avec le symbole ★) peuvent être téléchargées à partir de notre site Quicklinks pour ton usage personnel. Tu peux les utiliser, par exemple, dans le cadre d'un projet scolaire. Attention, ces images ne doivent pas être utilisées dans un but commercial.

Notes pour les parents

Tous les sites Web proposés dans ce livre sont régulièrement vérifiés et les liens mis à jour. Un site peut cependant changer à tout moment et les éditions Usborne ne sauraient être tenues responsables du contenu de sites Web autres que le leur.

Nous recommandons aux adultes d'encadrer les enfants lorsqu'ils consultent Internet, de leur interdire l'accès aux chat rooms (salles de discussion) et d'utiliser un système de filtrage afin de bloquer l'accès à tout matériel indésirable. Les enfants doivent lire les instructions de sécurité ci-contre. Pour plus de détails, voir **Besoin d'aide ?** sur **Quicklinks**.

IL N'EST PAS OBLIGATOIRE
D'AVOIR UN ORDINATEUR

Tel quel, cet ouvrage de référence est complet et ne nécessite aucun auxiliaire.

Les chevaliers

Rachel Firth

Maquette : Lucy Owen

Avec la collaboration de : Glen Bird et Helen Wood

Rédaction : Jane Chisholm et Gillian Doherty

Illustrations : Giacinto Gaudenzi, Dominic Groebner,
Massimiliano Longo et Glen Bird

Experts-conseils : Charles Insley et John France

Pour l'édition française : Traduction : Véronique Dreyfus
Rédaction : Renée Chaspoul et Nick Stellmacher

Sommaire

Liens Internet

Tout le long de ce livre, des encadrés comme celui-ci décrivent des sites Web auxquels tu pourras accéder à partir de notre site : **www.usborne-quicklinks.com/fr** Tu auras ainsi la possibilité d'approfondir tes recherches sur les chevaliers.

Ce symbole, à côté d'un dessin, signifie que tu peux télécharger l'image à partir de **www.usborne-quicklinks.com/fr** Reporte-toi à la couverture intérieure et à la page 46 pour savoir comment procéder.

Couverture : épée et armure de plates.
Page de titre : illustration médiévale représentant un tournoi à la lance entre deux chevaliers.
Ci-contre : détail de la tapisserie de Bayeux, des chevaliers normands combattant contre des chevaliers saxons.

Qu'est-ce qu'un chevalier ?.................

Les chevaliers étaient des guerriers à cheval. Ils vivaient en Europe à l'époque du Moyen Âge, entre 500 et 1550 environ. Durant ces quelques siècles, ils représentèrent une formidable force sur les champs de bataille.

Qui pouvait devenir chevalier ?

Au début, tout homme pouvait devenir chevalier, à condition d'avoir été formé et de se payer l'armure et la monture. Plus tard, seuls les fils de la noblesse, familles riches et importantes, avaient ce droit.

Guerriers en armure

Équipé de son armure, une protection en métal, et d'une grande épée très lourde, le chevalier était une véritable machine de guerre. Le cheval constituait une partie essentielle de son équipement. En général, ces guerriers en possédaient trois – un pour le combat, un pour se déplacer et un pour porter le matériel.

Liens Internet

Surfe sur ce site général consacré au Moyen Âge. Pour le lien vers ce site, connecte-toi à :
www.usborne-quicklinks.com/fr

Chevalier et sa monture équipés d'une armure complète. L'armure du cheval était très chère et seuls les plus riches pouvaient l'acheter.

Les symboles

Le chevalier portait un bouclier pour se protéger et des éperons, accessoires en métal hérissés de pointes, ajustés aux talons, qui servaient à maîtriser le cheval. Épée et éperons étaient d'importants symboles de la chevalerie. Tout homme fait chevalier recevait des éperons et une épée, qui ne lui étaient enlevés que s'il était déchu de son titre.

Le bouclier, fait en bois, était généralement décoré de motifs géométriques ou figuratifs.

Cette partie de l'éperon se portait autour de la cheville.

La partie hérissée servait à éperonner le cheval pour le faire avancer plus vite.

L'épée, en fer ou en acier, était parfois tellement grande qu'il fallait la tenir à deux mains.

Chevaliers légendaires

Il existe de nombreuses histoires sur les chevaliers et leurs exploits. Une des plus connues est celle du roi Arthur et des chevaliers de la Table ronde. À en croire la légende, ils combattaient des monstres et sauvaient des jeunes filles. Beaucoup pensent que ces personnages ont réellement existé, aux Ve ou VIe siècles.

Cette illustration médiévale décrit les exploits de Lancelot, un des chevaliers du roi Arthur.

Fait : seuls les hommes pouvaient devenir des chevaliers et recevoir le titre de « sire chevalier ».

Des armes redoutables

Inventées à la fin du Moyen Âge, les armes à feu n'existaient pas au temps des chevaliers. Cependant, ceux-ci ne manquaient pas d'armes redoutables pour les combats au corps à corps, notamment la lance et l'épée.

Brandir l'épée

L'épée du chevalier était en général grande et à double tranchant. La plus répandue était l'épée à une main et demie. Courte et relativement légère, on la tenait d'une seule main, mais son long manche permettait de la prendre à deux mains.

Pointues et acérées

Les chevaliers avaient aussi de petites épées légères et très effilées. Assez fines pour se glisser entre les éléments de l'armure ou du casque, elles provoquaient de terribles blessures aux articulations et à la tête. Ces armes pouvaient même parfois transpercer une armure.

Ce chevalier brandit à deux mains une épée longue de 1 mètre.

Liens Internet

Le harnois du chevalier, c'est-à-dire son équipement complet avec ses armes. Pour le lien vers ce site, connecte-toi à : www.usborne-quicklinks.com/fr

De longues lances

Une lance était un long pieu en bois avec une pointe métallique acérée. Le chevalier pouvait attaquer les soldats ennemis avec sa lance sans avoir à descendre de cheval ou à s'approcher trop près.

Cette lance mesure 4 m du manche à l'extrémité. Une garde, ou quillon, protège la main de l'utilisateur.

Haches de guerre

La hache de guerre permettait au chevalier de frapper un soldat ennemi à proximité ou à distance en lançant l'arme. Sur son cheval, le chevalier combattait avec un marteau de guerre, sorte de petite hache à manche court avec une lame d'un côté et une pointe recourbée de l'autre. À pied, il attaquait les cavaliers ennemis avec des hallebardes, des haches à long manche.

Voici une hallebarde. La pointe recourbée, à droite, servait à agripper le cavalier et à le faire tomber.

Cette hache de guerre à double lame, en fer, était tranchante comme une lame de rasoir.

Masses d'armes et fléaux

Une masse d'armes, faite d'un manche court et d'une extrémité en métal très lourde, pouvait fracasser un chevalier malgré son armure. Le fléau était une masse d'armes avec une ou deux boules en métal, parfois hérissées de pointes acérées, fixées au bout d'une chaîne. Il pouvait transpercer une armure et briser les os d'un homme.

À collet ou striées, les masses comme celle-ci étaient très répandues à partir du XIIIe siècle.

La boule de ce fléau est reliée au manche par une chaîne de 30 cm.

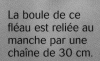

Fait : de nombreux chevaliers tenaient les archers pour des lâches, car ils tiraient de loin sans avoir à engager le combat au corps à corps.

Cottes de mailles et boucliers..........

L'armure était essentielle à la survie du chevalier. Avec le bouclier, qui servait à parer les coups, c'était une excellente protection contre toutes sortes d'armes. Les armures n'ont cessé d'être modifiées au cours du Moyen Âge. Sur ces deux pages, nous décrivons les plus anciennes.

Cet homme est revêtu d'une cotte de mailles du XIIe siècle.

Cette chemise de toile, le surcot, enfilée sur la cotte de mailles, était surtout décorative.

Le chevalier se protégeait le cou et la tête avec une capuche en cotte de mailles, un camail, souvent recouverte d'un casque.

La cotte de mailles

Les premières armures étaient constituées de milliers de petits anneaux entrelacés. C'était la cotte de mailles. Le chevalier portait une tunique en cotte de mailles, appelée haubert, ainsi que des jambières en mailles ou en cuir.

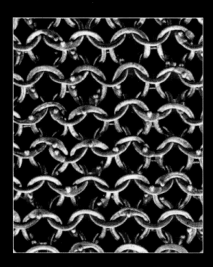

Gros plan d'une cotte de mailles. Pour une seule tunique, il fallait bien 2 000 petits anneaux environ.

Détail de la tapisserie de Bayeux, qui date du XIᵉ siècle et représente l'invasion normande de l'Angleterre, en 1066. Les chevaliers portent de longs hauberts et des casques pointus.

Protection supplémentaire

La cotte de mailles résistait aux armes tranchantes, mais pas à des coups violents qui pouvaient briser les os. Sous la cotte de mailles, le chevalier portait donc des sous-vêtements matelassés appelés gambisons.

Pour se protéger la tête des coups violents, généralement fatals, le chevalier portait un casque par-dessus le camail et la capuche matelassée. Les premiers casques étaient pointus ou arrondis, avec, parfois, un protège-nez, mais rien d'autre.

Liens Internet
La reconstitution de la fabrication d'une armure, une dynastie d'armuriers médiévale... Pour le lien vers ce site, connecte-toi à : **www.usborne-quicklinks.com/fr**

L'écu

Les premiers boucliers du Moyen Âge, les écus, étaient quasiment aussi grands que le chevalier qui les portait. De forme généralement ovale, l'écu était en bois léger. Plus tard, les armures étant devenues plus efficaces, le bouclier se fit plus petit, car sa taille n'était plus aussi importante pour la protection.

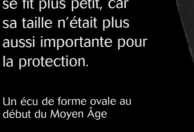

Un écu de forme ovale au début du Moyen Âge

Fait : les cottes de mailles rouillaient très vite, il fallait donc les rouler régulièrement dans du sable pour les nettoyer.

Armures de plates

À mesure que les armes devenaient plus meurtrières, les chevaliers avaient besoin d'armures plus efficaces. Ils remplacèrent les éléments en cotte de mailles, les uns après les autres, par des plaques en métal. À la fin du Moyen Âge, ces guerriers étaient équipés d'armures complètes composées de plaques soudées entre elles : l'armure de plates.

Liberté de mouvement

Les chevaliers devaient se sentir libres de leurs mouvements malgré leur équipement. Au niveau des articulations, l'armure était constituée de nombreuses pièces articulées. Cela permettait au chevalier de plier les bras et les jambes.

Armure de plates du XVIᵉ siècle

Casque armet

Le plastron qui protège la poitrine est d'un seul tenant. Il est relié à la plaque du dos par les côtés.

Les mains et les poignets sont protégés par des gants en métal appelés gantelets.

Des genouillères articulées permettent au chevalier de plier la jambe.

Les pieds sont protégés par des chaussures en métal, des solerets. Celles-ci, à bout carré, étaient à la mode dans les années 1530.

Ce gant est fait de pièces métalliques qui se chevauchent. Reliées par des rivets, elles peuvent glisser les unes sur les autres.

★

Rivet

Protection pour la tête

À la fin du Moyen Âge, le casque recouvrait totalement
la tête, le cou et le visage. La ventaille ou visière était
percée de petites fentes et orifices pour voir et respirer.
Elle était parfois articulée grâce à des charnières et
se relevait lorsque le chevalier ne combattait pas.

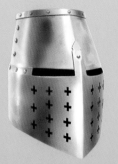

Grand casque avec
visière fixe du XIIᵉ siècle

Bassinet du XIVᵉ siècle
dépourvu de visière

Bassinet à visière fixe
du XIVᵉ siècle

Cette photo représente
un casque avec la visière
relevée. Un couvre-nuque
en mailles est fixé à la base.

Sur mesure

L'armure de plates était plus
confortable que la cotte de
mailles. Toutes deux pesaient
à peu près le même poids,
mais l'armure semblait
plus légère, car le poids
était mieux réparti.
Les chevaliers
faisaient fabriquer
leur armure
chez des artisans
qualifiés. Les plus
perfectionnées
étaient composées
de lamelles en fer
faites sur mesure
pour celui qui allait
la porter.

Armure seyante

Les armures de la fin du
Moyen Âge étaient finement
ouvragées. Les artisans
s'inspiraient souvent des
vêtements à la mode,
ornant le métal de
cannelures par
exemple. Ces
armures étaient
particulièrement
onéreuses et seuls
les plus riches des
chevaliers pouvaient
suivre la mode.

Cette armure, finement ouvragée,
était le haut de gamme en Italie
vers la fin du Moyen Âge.

Fait : les armures de plates les plus lourdes pesaient environ 23 kg, l'équivalent de
vingt-cinq boîtes de conserve de 1 kg.

Les chevaliers et leurs châteaux........

Les chevaliers et autres nobles vivaient dans des châteaux avec famille et serviteurs. C'étaient de grosses bâtisses conçues pour protéger ses habitants des attaques extérieures. La plupart des châteaux étaient défendus par une garnison composée de chevaliers et de soldats.

Les premiers châteaux

Les premiers châteaux étaient souvent en bois. Ils s'appelaient des donjons à motte. La motte était la colline sur laquelle trônait une tour en bois avec, au pied, des habitations qui abritaient la plupart des habitants du château. Les deux parties étaient reliées par un pont-levis. En cas d'attaque, les gens se réfugiaient sur la motte et refermaient le pont-levis au nez des assaillants.

Ce donjon à motte est entouré d'une palissade en bois pour faire obstacle aux attaques des assaillants.

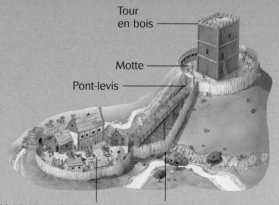

Tour en bois

Motte

Pont-levis

Habitations de la basse-cour

Palissade en bois

Fait : pour construire un tel château, il fallait 2 000 ouvriers et une dizaine d'années.

Murailles et donjons

Quand ils étaient assez riches, les nobles édifiaient des châteaux en pierre, bien plus solides et sûrs. Cela se résumait, au début, à un donjon avec des murs épais. Plus tard, la tour était entourée d'un mur d'enceinte. Puis les donjons disparurent au profit de murailles aux tours intégrées et d'une cour intérieure.

Châteaux concentriques

Au XIIIe siècle, apparurent des châteaux concentriques avec une série de murs d'enceinte. Les murs extérieurs étant plus bas que les murs intérieurs, cela permettait aux archers postés sur le mur intérieur de tirer leurs flèches sur l'ennemi sans toucher leurs camarades.

Le château de Bodiam possède une cour intérieure et des douves, larges fossés remplis d'eau, qui constituent une protection supplémentaire.

Plan d'un château concentrique vu de dessus

Mur intérieur

Tour

Entrée fortifiée

Douves

Entrée fortifiée et son pont-levis

Mur extérieur

La guerre au Moyen Âge

Au Moyen Âge, la guerre était toujours présente, que ce soit sous forme de raids, de batailles rangées ou de sièges. Les nobles du voisinage rivalisaient entre eux, mais des pays entiers se disputaient également des territoires.

Les chevaliers et l'armée

Les chevaliers représentaient environ un cinquième des armées médiévales. Les autres soldats formaient la piétaille, troupes à pied. Parmi eux, il y avait les archers avec leur arc et leurs flèches, ou encore des soldats armés d'une sorte de lance appelée pique. Les chevaliers devaient parfois descendre de leur monture pour combattre à pied.

Raids destructeurs

Un raid est une attaque surprise, dont l'objectif est de détruire les réserves de nourriture et les biens de l'ennemi pour l'affaiblir. Les soldats pillaient les gens, brûlaient des villes et des villages entiers et tuaient quiconque se trouvait sur leur chemin. Les réserves de nourriture ayant été volées ou détruites, la population assiégée mourait de faim.

Liens Internet

Surfe sur ce site pour en savoir plus sur la guerre au Moyen Âge : les armes, les combattants, le rôle des chevaliers, etc. Pour le lien vers ce site, connecte-toi à : www.usborne-quicklinks.com/fr

Les batailles, très violentes, étaient en général une véritable pagaille. De nombreux soldats mouraient piétinés plutôt que transpercés par les armes ennemies.

Tactiques de combat

Les batailles, de grandes mêlées opposant les armées ennemies, étaient rares. En effet, elles étaient très meurtrières et pouvaient décimer une armée entière, risque que les généraux préféraient éviter.

L'assaut lancé, de part et d'autre, par les chevaliers à cheval était, par tradition, le point d'orgue de la bataille. Les armées avaient parfois recours à des tactiques défensives pour contrecarrer l'attaque. Les soldats fabriquaient, par exemple, un piège fait de pieux pointus plantés dans le sol, destiné à empaler les chevaux ennemis et à arrêter ainsi la charge des chevaliers.

Les soldats plantaient dans le sol des pieux pointus sur lesquels les chevaux s'empalaient lorsqu'ils tentaient de sauter par-dessus.

S'emparer d'un château

Le but d'un siège était de prendre un château ou une ville. La nouvelle place forte représentait une base de combat avancée permettant de contrôler les terres voisines. Pour en savoir plus sur les sièges, voir pages 16-21.

Fait : lors d'une bataille ou d'un siège, un archer pouvait envoyer 12 flèches à la minute.

15

Assiégés

La plupart des châteaux étaient bien défendus et difficiles à capturer. L'armée assaillante encerclait parfois une place forte, la coupant de ses approvisionnements, et attendait que ses occupants, poussés par la faim, se rendent. Cela pouvait être long, et l'attaque était une solution plus rapide pour s'emparer des lieux.

À l'assaut des murailles

Lors d'un assaut, les soldats essayaient de franchir les murs en les démolissant ou bien en les gravissant. Ils se servaient pour cela d'immenses engins de siège. Cette page met en scène quelques-unes de leurs tactiques.

Pour saper les murailles, les soldats creusaient des tunnels sous les murs, puis provoquaient leur effondrement, ce qui entraînait l'écroulement des murs.

Le bélier est un engin de siège. C'était un chariot armé d'un tronc d'arbre que les soldats tiraient en arrière, puis poussaient contre les portes pour les défoncer.

Ces palissades en bois dissimulaient les soldats et les protégeaient du feu ennemi.

Le trébuchet était une machine de jet qui permettait de bombarder les murailles avec des blocs de pierre très lourds.

Les assaillants franchissaient les murs d'enceinte à l'aide de grandes tours mobiles en bois, les beffrois. Pour les approcher du château, il fallaient combler une partie des douves.

Les soldats assiégés repoussaient les échelles d'escalade de leurs assaillants avec de longs pieux munis de crochets.

Fait : pour pénétrer dans le château, les assaillants avaient parfois recours à des moyens détournés, comme par exemple acheter un garde qui ouvrait la porte.

Les engins de siège.....................

Les machines de siège et autres armes imposantes étaient indispensables pour s'emparer d'une place forte ennemie. Les plus efficaces étaient les engins de jet pour bombarder le château et ses occupants avec des projectiles.

Liens Internet

Les armes et les techniques de siège, avec dessins, maquettes et descriptions. Pour le lien vers ce site, connecte-toi à : www.usborne-quicklinks.com/fr

Ce trébuchet du XIIIe siècle avait une portée d'environ 300 m.

Catapultes gigantesques

Le trébuchet était une des armes les plus destructrices. Avec une fronde d'un côté et un contrepoids de l'autre, il fonctionnait comme une gigantesque catapulte. Les plus puissants de ces engins envoyaient des projectiles de 270 kg, le poids moyen d'une vache.

Dans la fronde, à l'extrémité du bras de l'engin, les soldats chargeaient des projectiles, tels que des pierres lourdes.

Cette grosse boîte en bois à la base du trébuchet est un contrepoids. Il était rempli de terre, de sable ou parfois de pierres ou de plomb.

Ces images décrivent le fonctionnement du trébuchet.

Les soldats tiraient la fronde vers eux et la fixaient au sol à un crochet. Ils chargeaient alors le projectile, puis remontaient le bras avec des cordes et un treuil.

Puis, d'un coup de pied, ils libéraient le bras et le contrepoids. La force du poids qui retombe projetait la fronde en l'air, expulsant le projectile vers sa cible.

Arbalète géante

Les balistes, sortes d'arbalètes géantes, d'une portée de 400 m, tiraient des flèches à pointe en métal. Moins encombrantes que les trébuchets, elles étaient plus faciles à déplacer, mais ne parvenaient pas à ébranler les murailles. En fait, elles étaient surtout destinées à tuer des ennemis. Une seule flèche pouvait embrocher plusieurs personnes à la fois.

Ces soldats arment une baliste afin qu'elle soit prête à tirer.

Levier

Corde

Ils tournaient la roue pour bander la corde, puis ils installaient la flèche dans l'arc.

Flèches

Arc

★

Une fois la corde tendue, les soldats tiraient sur le levier pour envoyer la flèche.

Le canon à feu

Les canons firent leur apparition dans les années 1300. Ils fonctionnaient à la poudre et projetaient des boulets en pierre ou en métal. Les soldats tassaient la poudre dans le canon, puis déposaient le boulet dessus. Ils allumaient ensuite une mèche reliée à la poudre, provoquant une explosion qui propulsait violemment le boulet.

La puissance de feu que la poudre donnait au canon permettait de tirer des projectiles plus lourds et de faire des dégâts bien plus importants. Mais ces engins n'étaient pas très fiables ; ils pouvaient exploser à n'importe quel moment.

Cet énorme canon du XVe siècle était tellement lourd qu'il fallait bien 100 hommes pour le déplacer.

Fait : avec les trébuchets, les assaillants envoyaient parfois des cadavres d'animaux ou du purin dans les châteaux pour propager des maladies.

La défense

Les châteaux étaient construits pour résister à de lourdes attaques et permettre aux soldats d'en assurer la défense sans s'exposer au feu ennemi.

La scène ci-dessous décrit quelques tactiques de défense.

Tirer sur l'ennemi

Dans les murs, des archères, ouvertures de tir évasées vers l'intérieur, permettaient aux soldats de tirer leurs flèches aisément. À l'extérieur, elles étaient en effet trop étroites pour laisser entrer les flèches adverses. La défense pouvait ainsi tirer sur l'ennemi sans être exposée à son feu.

Une pluie de projectiles

Pour résister, les assiégés construisaient des hourds, prolongements en bois au sommet des murailles. Le fond percé d'ouvertures permettait de lancer des projectiles sur les ennemis. En pierre et fixes, ces installations s'appelaient des mâchicoulis.

Les soldats versaient du liquide enflammé sur les assaillants qui tentaient de gravir les murs.

Par les archères, les archers bombardaient de flèches les soldats au pied des murailles.

Les espaces dans les remparts du château donnaient aux soldats un angle d'attaque important.

Les soldats versaient sable chaud et pierres par les ouvertures au sommet des tours.

Les assommoirs
rectangulaires sont
nettement visibles dans
la voûte de cette entrée.

Les assommoirs

La voûte de l'entrée des châteaux était
parfois équipée d'ouvertures appelées
assommoirs. Les soldats pouvaient
arroser d'eau ou de sable bouillant les
ennemis qui se seraient introduits ou
bien verser de l'eau froide pour éteindre
des feux qu'ils auraient allumés.

Une pluie incendiaire

Les soldats assiégés versaient parfois une
mixture, appelée feu grégeois, pour tenter
d'incendier les tours mobiles des assaillants.
La composition de cette substance est mal
connue, mais elle s'enflammait violemment,
y compris sur l'eau, et était très difficile à
éteindre. Elle brûlait tout sur son passage,
y compris les gens.

Devenir chevalier

L'apprentissage du chevalier pouvait durer une quinzaine d'années. Le prétendant au titre commençait sa formation dès l'âge de 6 ou 7 ans. Vers 21 ans, s'il était un bon combattant et pouvait se payer tout l'équipement nécessaire, il était enfin prêt pour être adoubé (fait chevalier).

Le page devait servir les repas du seigneur et de sa dame.

Le page

Tout jeune, le candidat était envoyé loin de chez lui, dans le château d'un chevalier qui assurait sa formation et le prenait pour page. Il apprenait les techniques militaires et recevait une éducation relative à la gestion du domaine et au comportement chevaleresque.

Les pages apprenaient parfois à lire et à écrire.

Tant qu'il n'était pas écuyer, le page s'entraînait avec des épées et des boucliers en bois.

Apprendre à se battre

Vers l'âge de 14 ans, le page franchissait une nouvelle étape et devenait écuyer. Les écuyers vivaient et s'entraînaient en groupes, et ils apprenaient à se battre avec des armes réelles.

Les écuyers s'entraînaient à viser une cible, une quintaine, avec leur lance.

Pour s'habituer à leur lourde armure, les écuyers couraient tout équipés.

Les écuyers étaient responsables des chevaux de leur seigneur.

Enfiler seul son armure était chose difficile. Aussi, l'écuyer avait-il pour tâche d'aider son seigneur à s'équiper.

★

L'adoubement

Seul le roi ou bien un chevalier pouvaient nommer un écuyer chevalier. Cela se déroulait généralement lors de la cérémonie de l'adoubement. En voici quelques étapes.

Liens Internet

Une rubrique sur la cérémonie de l'adoubement du chevalier. Pour le lien vers ce site, connecte-toi à : **www.usborne-quicklinks.com.fr**

La veille de la cérémonie, l'écuyer devait prier toute la nuit dans l'espoir d'être un bon chevalier.

Pour le faire chevalier, le roi frappe l'épaule et la tête de l'écuyer avec le plat d'une épée.

Le chevalier reçoit son épée et ses éperons, symboles de sa nouvelle condition.

Le temps des célébrations

L'adoubement était généralement suivi de festivités. Les chevaliers participaient à des tournois, où ils se mesuraient au combat. Des banquets étaient organisés, avec de la musique et des danses pour tous. Cela durait parfois des jours entiers.

Adoubé au combat

L'écuyer était parfois fait chevalier sur le champ de bataille, lorsque le roi voulait lui donner du cœur au combat, ou bien après, en récompense d'un comportement particulièrement courageux.

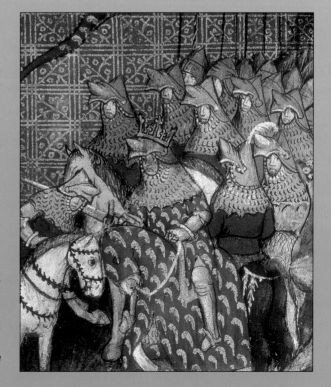

Sur cette peinture médiévale, le roi Richard II d'Angleterre fait chevalier un écuyer juste avant le combat.

Fait : les écuyers ne pouvaient pas tous s'acheter une armure et un cheval pour devenir chevaliers, et ils restaient donc écuyers toute leur vie.

Les tournois ....

Les chevaliers combattaient même en temps de paix. Ils organisaient des tournois pour s'entraîner et mettre en valeur leurs compétences, ainsi que pour former les plus jeunes au combat. Les tournois comprenaient plusieurs types d'épreuves.

Les joutes

La joute était un combat qui engageait deux cavaliers. Armés de lances, ils galopaient l'un vers l'autre sur une piste, appelée une lice. Lorsqu'ils se croisaient, chacun essayait de frapper l'adversaire avec sa lance. Ils accumulaient des points en fonction de leur adresse et de l'endroit où ils frappaient l'adversaire.

Le chevalier sur la gauche obtiendrait deux points sur trois pour avoir touché le bouclier de son adversaire.

Pour avoir brisé le bout de sa lance contre celle de son opposant, celui-ci perdrait des points.

Pour être bien visibles dans les tournois, les chevaliers portaient des couleurs vives.

Faire tomber son adversaire de cheval donnait le plus grand nombre de points.

★

Simulacre de bataille

Ces chevaliers se battent tous en même temps au cours d'un simulacre de bataille. Les dames assistent au tournoi depuis une estrade protégée.

Au début, les tournois étaient des simulacres de batailles, qu'on nommait des mêlées. À l'origine, ces combats entre plusieurs groupes de chevaliers, avec de vraies armes, étaient chaotiques et violents. Plus tard, les épreuves se firent plus organisées, engageant deux équipes qui devaient chacune tenter de capturer autant de prisonniers du camp adverse que possible.

Liens Internet

Tu trouveras sur ce site un lien qui traite des tournois médiévaux et des différentes épreuves. Pour le lien vers ce site, connecte-toi à :
www.usborne-quicklinks.com/fr

Pas d'armes

Au cours du pas d'armes, un chevalier, seul ou en équipe, choisit une place à défendre, une route ou un pont, puis met au défi d'autres chevaliers de l'attaquer. Ces épreuves étaient généralement amicales. Les chevaliers devaient se montrer chevaleresques autant que doués au combat.

Les anneaux

Les épreuves n'étaient pas toutes tournées vers le combat. Dans l'une d'elles, le chevalier devait attraper de petits anneaux avec le bout de sa lance alors que son cheval galopait. C'était une épreuve où il fallait faire preuve d'adresse et de qualités équestres.

Le chevalier devait bien maîtriser son cheval et viser avec précision pour attraper de si petits anneaux avec sa lance.

Fait : en 1241, lors d'un tournoi particulièrement violent qui se tenait dans la ville allemande de Neuss, environ 80 chevaliers et écuyers furent tués lors d'un simulacre de bataille.

25

Les armoiries

Un chevalier revêtu de son armure complète était en général difficile à reconnaître. Il ornait donc son bouclier de motifs colorés, géométriques ou figuratifs. On parle alors du blason, qui rassemble les armoiries. Chaque type d'armoiries était unique.

Ce chevalier est équipé pour un tournoi. Les juges le reconnaissent à ses armoiries distinctives.

L'héraldique

Il existe un vocabulaire particulier pour décrire les différentes armoiries. On utilise par exemple « gueules » pour le rouge ou « rampant » pour une figure dressée. Ces termes viennent en fait du vieux français.

Liens Internet

Les secrets de la conception des armoiries, l'héraldique par pays et des personnes. Pour le lien vers ce site, connecte-toi à :
www.usborne-quicklinks.com/fr

Couleurs et symboles

Les couleurs et les figures des blasons ont souvent un sens, différent selon le pays et l'époque. Le chat, par exemple, symbolise la liberté ou bien le courage. Certaines armoiries symbolisent parfois le nom du chevalier. Le blason d'un chevalier appelé Trompetton, par exemple, pourrait figurer des trompettes.

Voici quelques exemples de blasons avec la signification des couleurs et des figures

Ours : force ou ruse

Fond « azur » : vérité

Abeille : efficacité

Dragon : protection ou courage

Fond rouge ou « gueules » : force

Fond doré : générosité

Dagues : justice ou honneur

Lunes : puissance

Licorne : courage

Fond noir ou « sable » : tristesse

★

Lion (« rampant ») : force ou courage

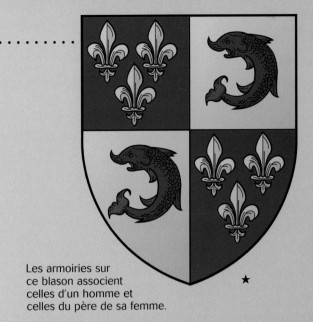

Au choix

Au début, un chevalier pouvait choisir n'importe quel motif pour son blason, mais, rapidement, une série de règles fut établie. Les symboles argentés ou dorés sur fond argenté ou doré, par exemple, étaient proscrits. En 1424, en Angleterre, si un chevalier souhaitait avoir de nouvelles armoiries, il devait obtenir l'approbation d'un organisme appelé le Collège royal d'héraldique.

Les armoiries sur ce blason associent celles d'un homme et celles du père de sa femme. ★

De père en fils

Les armoiries se transmettaient par héritage. Lorsqu'un chevalier mourait, ses armoiries revenaient à son fils aîné. Les fils pouvaient porter les armoiries du père de son vivant, à condition d'y ajouter un signe distinctif, une brisure, indiquant leur position dans la famille. À la mort du père, l'aîné était autorisé à retirer cette marque et héritait ainsi pleinement des armoiries.

Voici quelques exemples de brisures que les fils ajoutaient sur les blasons de leur père en Angleterre, à la fin du Moyen Âge.

Armoiries combinées

Les femmes possédaient rarement leurs propres armoiries, mais elles pouvaient porter celles de leur père ou de leur mari. Lorsqu'elle se mariait, la femme en créait parfois des nouvelles en associant son blason paternel à celui de son mari. Il existe différentes façons de procéder.

Ci-dessous, ce blason a été combiné par partition, verticale, de deux autres : le côté dextre (droite) de l'un est joint au côté senestre (gauche) de l'autre.

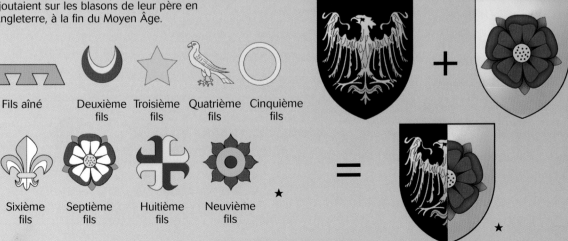

Fils aîné — Deuxième fils — Troisième fils — Quatrième fils — Cinquième fils

Sixième fils — Septième fils — Huitième fils — Neuvième fils ★

Fait : un chevalier qui n'avait pas de fils transmettait ses armoiries à sa fille. Elle était l'héritière héraldique.

Les hérauts

À la fin du Moyen Âge, les armoiries étaient devenues très nombreuses et souvent extrêmement compliquées. Les hérauts étaient des gens spécialisés dans leur identification.

La formation d'un héraut

Les apprentis hérauts s'appelaient des poursuivants. Ils devaient apprendre à reconnaître les différentes armoiries, ainsi que le jargon du métier, mais également mémoriser l'histoire des différentes familles. Les plus anciens étaient des officiers d'armes. Ils avaient la charge d'autoriser ou non l'usage d'armoiries et de donner des conseils pour leur choix.

Dans certains pays, les hérauts se différenciaient des poursuivants par la façon de porter leur tunique, le tabard.

Les hérauts portaient le tabard avec les ouvertures sur le côté.

Les poursuivants le portaient avec les panneaux sur les bras.

Hérauts et tournois

Cette image médiévale représente un héraut donnant le signal de l'ouverture d'un tournoi.

Leur grande connaissance des armoiries rendait les hérauts très utiles dans les tournois. Seuls à pouvoir identifier les concurrents, ils notaient les points que chacun récoltait. Les chevaliers qui en avaient les moyens recrutaient leur héraut personnel pour les présenter au début du tournoi. Le héraut criait le nom et le titre du chevalier et vantait ses mérites au combat.

Liens Internet

Voici la carte des armoiries de toutes les anciennes provinces de France. Pour le lien vers ce site, connecte-toi à : **www.usborne-quicklinks.com/fr**

Fait : en Grande-Bretagne, au Collège royal d'héraldique, il existe aujourd'hui encore des hérauts qui s'entraînent et travaillent.

Les hérauts à la guerre

En temps de guerre, les chevaliers emmenaient les hérauts sur le champ de bataille. Leur rôle consistait souvent à transmettre des messages entre les deux camps. Astreints à des règles strictes, il leur était interdit de servir d'espion. Ainsi, ils ne devaient révéler aucun secret à leur camp sur les préparatifs du camp ennemi. Il est fort probable qu'ils aient enfreint cette loi de temps à autre.

Rouleaux armoriaux

Les hérauts établissaient des listes, sur des rouleaux, de tous ceux qui participaient au combat ou à un tournoi. Ils devaient décrire ou bien reproduire les différents blasons. Ces rouleaux armoriaux sont les seules représentations que nous ayons des premières armoiries.

Détail d'un rouleau armorial. Il contient au total 324 blasons différents du XVe siècle.

Tabard de héraut orné d'armoiries. Le héraut le portait sur le champ de bataille pour ne pas être confondu avec un soldat et se faire tuer.

Dénombrer les morts

Les hérauts observaient les combats à distance et, avec leur connaissance des armoiries, ils pouvaient repérer les comportements indignes. Ils avaient également pour tâche de recueillir les dernières volontés du chevalier qui mourait au combat. Une fois la bataille terminée, les hérauts dénombraient les nobles tués et les identifiaient.

La chasse et les jeux ....

La chasse était l'une des activités préférées des chevaliers. C'était à la fois un divertissement et une façon de procurer de la viande fraîche à leur famille. Ils chassaient le gros gibier, comme les renards et les cerfs, à cheval, et le petit gibier, comme les lièvres et les lapins, à pied avec des oiseaux.

La chasse à courre

La chasse à courre se faisait à cheval, avec des chiens dressés à repérer l'odeur des animaux et à traquer le gibier. Les chevaliers payaient parfois des paysans pour qu'ils courent devant bruyamment afin d'effrayer le gibier et le faire sortir de ses caches.

Sport de noble

Les chevaliers chassaient dans des forêts réservées. Seuls les nobles ayant le droit d'y chasser, le gibier était toujours abondant. Un paysan pris à chasser était sévèrement puni – on lui coupait la main ou même on le tuait.

Liens Internet

Et maintenant, amuse-toi un peu et joue au jeu du morpion. Pour le lien vers ce site, connecte-toi à : www.usborne-quicklinks.com/fr

Sur ce tableau médiéval, un cavalier poursuit un cerf. Avec sa lance, il s'apprête à frapper l'animal dès qu'il sera suffisamment proche.

Chasser avec des oiseaux

La chasse avec des oiseaux de proie (oiseaux qui chassent d'autres animaux pour les manger), ou fauconnerie, était un sport très répandu au Moyen Âge. Les oiseaux étaient capturés tout jeunes, puis dressés à attraper et à tuer de petits animaux sans les manger. L'espèce d'oiseau utilisée par le chasseur dépendait de son rang social. Toute personne qui enfreignait cette règle était sévèrement punie.

Seuls les empereurs pouvaient chasser avec un aigle.

Les rois chassaient avec le faucon gerfaut.

Aux princes était réservé le faucon pèlerin.

Les chevaliers chassaient avec le faucon sacre.

Les écuyers, eux, ne chassaient qu'avec le faucon lanier.

Quant aux dames, on leur réservait le faucon émerillon.

Les jeux de société

Les chevaliers appréciaient beaucoup les jeux de cartes, les jeux à damier ainsi que les dés. Chevaliers et nobles organisaient de grands concours d'échecs, un jeu très prisé, avec des prix pour les vainqueurs. Ils jouaient également à une version compliquée du jeu du morpion.

Ces pièces d'échecs ont été faites en Scandinavie au XIIe siècle.

Cette image médiévale représente des joueurs de dés, jeu très populaire chez les paysans comme chez les chevaliers.

La conduite chevaleresque

Les chevaliers se devaient d'avoir un comportement irréprochable. Il fallait, par exemple, qu'ils fassent preuve de courage, de loyauté, de générosité et de franchise, se conformant ainsi à tout moment au code de conduite chevaleresque.

L'amour courtois

Les chevaliers étaient tenus de témoigner beaucoup de respect aux femmes de la noblesse. Quand un chevalier était amoureux d'une dame, il devait être humble, fidèle et entièrement dévoué à elle. Il devait tenter d'impressionner sa belle, sans attendre un quelconque signe d'affection en retour. C'étaient les usages de l'amour courtois.

Ce bouclier est orné d'un chevalier humblement agenouillé au pied de sa dame.

La conquête... amoureuse

Les tournois étaient parfois l'occasion pour les chevaliers de tenter de gagner l'amour de leur dame. Ils étaient en fait prêts à aller beaucoup plus loin pour cela. Le chevalier autrichien Ulrich von Lichtenstein parcourut toute l'Europe avec, sur son casque, une image de Vénus, la déesse de l'Amour. Partout, il joutait avec d'autres chevaliers dans l'espoir de conquérir sa dame.

Détail d'un tableau représentant Ulrich von Lichtenstein. Il chevaucha ainsi d'Autriche à Venise, défiant d'autres chevaliers en chemin.

Liens Internet

Pour rêver, voici des légendes et histoires du Moyen Âge. Pour le lien vers ce site, connecte-toi à : **www.usborne-quicklinks.com/fr**

Fait : le mot chevalerie, né autour de l'an 1000, vient de cheval et de cavalier.

Sur le champ de bataille

Sur le champ de bataille, la conduite chevaleresque consistait à combattre avec acharnement et courage. Mais elle exigeait aussi de considérer les chevaliers ennemis avec respect. Dans ce même esprit, le chevalier pouvait se rendre sans perdre le respect de ses compagnons. Il était alors bien traité par ses ennemis jusqu'à sa libération.

Les troubadours

Les histoires chevaleresques étaient très populaires à l'époque. Les « chansons de geste », poèmes du début du Moyen Âge, vantaient le plus souvent les prouesses héroïques des chevaliers et leur conduite chevaleresque.

Plus tard, les troubadours ont commencé à chanter les amours et les romances des chevaliers et des nobles dames. Ces poètes, souvent célèbres, lisaient leurs poèmes dans les châteaux des rois.

Sur ce tableau du Moyen Âge, les chevaliers tuent leurs adversaires au combat. Ils ne se montraient miséricordieux qu'avec les ennemis qui se rendaient.

Les croisades ....

Les chevaliers participèrent en grand nombre aux croisades. Durant cette série de campagnes religieuses, les deux camps, les musulmans du Moyen-Orient d'un côté et les chrétiens d'Europe de l'autre, s'affrontèrent parce qu'ils voulaient contrôler la Palestine, région appelée la Terre sainte par les chrétiens.

Cette illustration médiévale représente un chevalier agenouillé, qui prête serment pour combattre aux croisades.

Les origines

Les chrétiens tenaient à la Terre sainte, où Jésus avait vécu et était mort. Pendant des siècles, les maîtres musulmans de Palestine autorisèrent les chrétiens à s'y rendre pour prier. Cependant, vers la fin du XIe siècle, les nouveaux dirigeants musulmans, les Turcs seldjoukides, se mirent à menacer et à attaquer les chrétiens d'Orient. L'Église chrétienne répondit alors en déclarant la Guerre sainte, ou croisade.

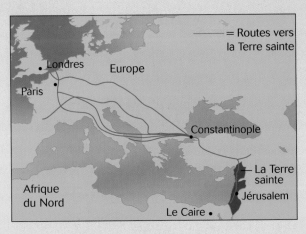

Avec leur monture, les chevaliers mettaient parfois onze mois pour relier l'Europe à la Terre sainte. Ci-dessus, voici quelques-unes des routes qu'ils empruntèrent.

Terre d'avenir

Environ 30 000 chevaliers et soldats s'enrôlèrent dans les croisades. En général, ils combattaient pour prouver qu'ils étaient de bons chrétiens, mais beaucoup étaient aussi animés d'autres mobiles. Surtout les plus pauvres, qui espéraient s'approprier des terres et des biens, aux dépens de leurs ennemis, en cas de victoire.

La conquête de Jérusalem

En 1099, les chrétiens conquirent
Jérusalem, ville la plus importante de
Palestine. Cette première croisade fut
victorieuse. Mais, en 1187, la ville fut reprise
par Saladin et ses armées musulmanes.
Durant les 200 ans qui suivirent, sept
autres croisades tentèrent de reconquérir
Jérusalem sans jamais y parvenir.

Bataille entre
croisés et
musulmans
lors de la
troisième
croisade

Représentation médiévale de Saladin,
souverain musulman qui régna en
Terre Sainte entre 1171 et 1193.

Enrichissement mutuel

Malgré la guerre incessante, le contact
entre chrétiens et musulmans enrichit
les deux parties. Les premiers acquièrent
de nombreuses connaissances dans
les domaines de la science et de
la musique, les seconds apprirent
de nouvelles techniques de combat.

Liens Internet

Une rubrique pour te documenter sur les
croisades. Pour le lien vers ce site, connecte-
toi à : www.usborne-quicklinks.com/fr

Fait : le compas magnétique, le luth (instrument de musique) et le papier figurent parmi
les nombreuses nouveautés que les croisés ramenèrent du Moyen-Orient.

Templiers et Hospitaliers ....

À près la première croisade, certains chevaliers restèrent en Terre sainte, où ils constituèrent des ordres religieux. Ces moines vivaient une vie religieuse, mais contrairement à d'autres moines, c'étaient aussi des guerriers se préparant militairement à la défense de leur religion. Les Templiers et les Hospitaliers étaient les plus importants.

Protéger les visiteurs

Les Templiers protégeaient et guidaient les chrétiens en visite en Terre sainte. Leur force militaire inspirait crainte et respect. Lorsqu'un chevalier devenait Templier, il faisait de nombreux vœux religieux, dont le serment de vivre pauvrement. Cependant, beaucoup de nobles fortunés donnaient de l'argent à l'ordre, qui devint rapidement riche et puissant, se constituant un imposant trésor.

Richesse et pouvoir

Avec leur argent, les Templiers établirent certaines des premières banques. Ils possédaient la plus grande flotte navale d'Europe et bâtirent de magnifiques châteaux partout en Terre sainte. Mais cette richesse et ce pouvoir s'effondrèrent brutalement en 1312. L'Église les accusa de pratiquer des croyances païennes et les bannit. Ils furent arrêtés et tués par milliers, et tous leurs trésors disparurent mystérieusement.

Cette illustration de deux Templiers sur un seul cheval vise à convaincre qu'ils étaient trop pauvres pour avoir chacun le leur.

Moines médecins

L'ordre des Hospitaliers soignait les chrétiens malades à Jérusalem. À l'instar des Templiers, ces chevaliers étaient d'habiles militaires, ils édifiaient des châteaux spectaculaires, tout en continuant à s'occuper des hôpitaux. Grâce à leur flotte importante, ils améliorèrent le commerce entre la Terre sainte et l'Europe, se chargeant en outre de réprimer les pirates.

Ce vitrail représente le fondateur de l'ordre des Hospitaliers, Gérard le Bénit.

Le Krak des Chevaliers, une des plus grandes forteresses des Hospitaliers en Terre sainte

Les Hospitaliers aujourd'hui

Les musulmans finirent par chasser les Hospitaliers de la Terre sainte. Ils s'établirent alors à Rhodes, puis à Malte, mais furent bannis au XVIe siècle. L'ordre, ranimé au XIXe siècle, porte aujourd'hui le nom d'ordre de Saint-Jean-de-Jérusalem. Il possède un hôpital à Jérusalem et le service de l'Ambulance Saint-Jean. Ses membres ne combattent plus, mais soignent toujours des malades.

Pièce de la fin du Moyen Âge figurant la croix de Malte, symbole de l'ordre de Saint-Jean.

Insigne actuel du service de l'Ambulance Saint-Jean

Les femmes de la noblesse

Les filles et les femmes des chevaliers disposaient en général de nettement moins de liberté que leur père et leurs frères. Elles devaient se marier jeunes, avoir beaucoup d'enfants et les élever, et aider leur mari à gérer le château.

Liens Internet

Être femme au Moyen Âge, ce n'est pas drôle tous les jours … Découvre ici la condition des femmes à cette époque. Pour le lien vers ce site, connecte-toi à : www.usborne-quicklinks.com/fr

Nobles châtelaines

Ce tableau médiéval représente des femmes à la chasse. Comme elles portaient de longues robes, elles montaient en amazone.

La femme du chevalier organisait le travail des serviteurs. Elle s'assurait que la bière était brassée, que la cuisine et les autres tâches ménagères étaient faites dans les règles de l'art. À ses moments perdus, elle jouait d'un instrument de musique, s'adonnait à la broderie, chassait et jouait à des jeux comme les échecs.

Seule à la maison

Pris par leurs nombreux combats, les chevaliers étaient souvent absents. Le devoir de la dame était alors de s'occuper des affaires du château, d'engager du personnel ou de le renvoyer. En cas d'attaque, la maîtresse de maison devait même organiser la défense.

Cette peinture du XIVe siècle représente une dame de la noblesse française dans une tenue ouvragée. Pour se vêtir, elle était aidée de ses domestiques.

La mode médiévale

Les tenues des femmes de la noblesse étaient faites dans des étoffes coûteuses, en soie ou en fourrure par exemple, et ornées de bijoux. Elles enfermaient leurs cheveux dans des filets d'argent ou d'or. Plus tard, la mode changea et les coiffes recouvraient totalement les cheveux.

Voici quelques coiffes médiévales

Coiffe en turban   Coiffe hennin   Coiffe papillon

Des femmes célèbres

La vie de la plupart des femmes du Moyen Âge était limitée, comparée à aujourd'hui, mais quelques-unes devinrent très célèbres et jouèrent un rôle influent. Parmi elles, il y eut des médecins, des femmes d'affaires, des écrivains et même des soldats.

Jeanne d'Arc mena les armées françaises à la bataille contre les Anglais, en 1429.

Sur ce tableau, Christine de Pisan, écrivain célèbre du Moyen Âge, présente ses livres à la princesse Isabelle de Bavière.

Fait : au Moyen Âge, la plupart des femmes se mariaient à l'âge de 12 ans et tous leurs biens devenaient la propriété de leur mari.

La fin des chevaliers

Vers la fin du Moyen Âge, les chevaliers et leurs châteaux étaient sur le déclin. Les villes gagnaient en population et en importance. Par ailleurs, les chevaliers n'étaient plus indispensables sur le champ de bataille, où la piétaille (soldats à pied) devenait un élément déterminant.

Armée de métier

À partir du XIVe siècle, les rois se mirent à engager des mercenaires, qui étaient des soldats de métier, à la place des chevaliers. Au contraire de ceux-ci, ces nouveaux militaires travaillaient toute l'année et recevaient des gages. Quelques chevaliers continuèrent à se battre pour leur roi mais, en général, ils préféraient s'occuper de leur domaine.

Grands arcs et piques

Dès 1300, le rôle des chevaliers devint secondaire sur les champs de bataille. De grands arcs très puissants, dont les flèches pouvaient transpercer une armure, furent introduits et les techniques de combat de la piétaille évoluèrent. Ils avançaient côte à côte, avec piques et hallebardes pointées vers l'avant en une forêt hérissée et mortelle, obligeant les chevaliers à descendre de cheval et à combattre à pied.

Ces archers avec leur grand arc se tiennent prêts à tirer sur l'ennemi, au-delà des piquiers de leur camp.

L'évolution des châteaux

Vers la fin du Moyen Âge, la guerre s'enrichit d'une nouvelle arme, le canon. Les châteaux traditionnels n'étaient pas adaptés pour résister à un matériel aussi puissant. Les nobles modifièrent donc leurs plans et édifièrent ce qu'on appelle des forts d'artillerie.

Ces forts d'artillerie étaient conçus exclusivement pour la défense. Ce n'étaient pas des lieux d'habitation, bien que la garnison y eût ses quartiers. Les murs, bas et épais, étaient très difficiles à détruire et pouvaient accueillir des canons pour la défense.

Le château de Deal, en Grande-Bretagne, est un des premiers forts d'artillerie. Les grandes plates-formes du premier plan facilitaient le tir des canons et autres armes à feu.

L'essor des marchands

Dans les villes, les marchands devenaient extrêmement riches et puissants. Ces commerçants gagnaient de l'argent en achetant des marchandises, souvent très luxueuses, à l'étranger, et en les revendant. Les rois cherchaient auprès d'eux, et non des chevaliers, un soutien financier et politique, les anoblissant même parfois. Ce titre honorifique plutôt que militaire ne demandait pas au marchand de combattre.

Les marchands du Moyen Âge achetaient et revendaient leurs marchandises sur des marchés comme celui-ci.

Fait : certains pays pratiquent encore l'attribution de titres honorifiques en remerciement de services rendus au pays.

Chevaliers célèbres

Beaucoup de chevaliers se rendirent célèbres par leurs exploits. Voici quelques-uns des plus connus :

Godefroi de Bouillon était l'un des premiers chevaliers français à s'engager dans les croisades. Il vendit beaucoup de terres afin de pouvoir financer son voyage en Terre sainte. Lorsque Jérusalem fut conquise par les croisés en 1099, il en devint le roi, avant de mourir au combat, l'année suivante.

Voici le blason de Godefroi de Bouillon alors qu'il était roi de Jérusalem.

Bertrand Du Guesclin était l'un des plus célèbres chevaliers français de son temps. Il prit part à de nombreuses batailles entre la France et l'Angleterre durant la guerre de Cent Ans. C'était un chef militaire hors pair. Sous son commandement, les Français reconquirent la plupart des terres prises par les Anglais.

Cette illustration du Moyen Âge représente Bertrand Du Guesclin qui mène l'attaque contre le château de Pestivien, en Bretagne.

Rodrigo Diaz de Bivar était un chevalier espagnol qui combattit à des époques différentes les chrétiens et les musulmans. Ses soldats, admiratifs, le surnommaient « El Cid Campeador », c'est-à-dire le « seigneur qui gagne les batailles», car il n'en perdait aucune.

William Marshal, qui comptait de nombreuses victoires dans les tournois, combattit aux côtés des Templiers en Terre sainte. Il servit trois rois anglais et fut ambassadeur d'Angleterre. Il reçut du roi Richard Ier tellement de terres et de châteaux qu'il fut l'un des nobles les plus puissants du royaume.

Boucicaut était un chevalier français qui devint soldat très jeune et fit preuve d'un grand talent militaire à 16 ans tout juste. Il fonda l'ordre de la Dame-Blanche-de-l'Écu-Vert, dont les membres juraient de protéger les femmes de la noblesse sans défense.

Le prince Édouard (le Prince Noir) était un chevalier anglais qui était craint de ses ennemis pour ses grandes qualités de commandant au combat. Sous son commandement, 7 000 soldats anglais écrasèrent 18 000 soldats français à la bataille de Poitiers en 1356. Son surnom de Prince Noir viendrait de la couleur noire de son armure.

Cette statue de Richard Cœur de Lion représente le roi s'apprêtant à mener la charge lors d'une bataille.

Statue en bronze du Prince Noir exposée sur sa tombe, à la cathédrale de Canterbury, en Angleterre.

Connu pour son courage et ses qualités sur le champ de bataille, le roi Richard Ier d'Angleterre était surnommé « Richard Cœur de Lion ». Il vécut la plus grande partie de son règne à l'étranger, participant à la troisième croisade et combattant le roi de France. Sur les dix ans de son règne, il ne passa que six mois en Angleterre. Il mourut à la suite de l'infection d'une blessure de guerre.

Simon de Montfort est connu pour les persécutions féroces qu'il infligea aux Albigeois, un groupe d'hérétiques en désaccord avec certains enseignements de l'Église. Il dirigea les armées lors de la croisade contre ces contestataires, détruisant leurs châteaux, mettant à sac leurs villes et tuant des milliers d'hommes, de femmes et d'enfants.

Aventures de chevaliers

La vie d'un chevalier était variée et riche en actions. Voici quelques histoires passionnantes sur leurs aventures sur les champs de bataille et ailleurs.

— Comme il avait besoin de forces pour combattre contre le pays de Galles et l'Écosse, le roi Édouard Ier d'Angleterre dut interdire les tournois que ses chevaliers préféraient nettement aux vrais champs de bataille.

— Les engins de siège en bois étaient souvent recouverts de peaux d'animaux trempées dans du vinaigre ou de l'urine pour les ignifuger.

— En temps de paix, les commandants des armées utilisaient parfois les trébuchets pour lancer des fleurs et des pétales aux dames qui assistaient aux tournois.

— Selon la légende, le chevalier français Boucicaut était capable, revêtu de son armure complète, de sauter sur son cheval en faisant un saut périlleux.

— Même avec l'aide d'un écuyer, il fallait parfois une heure à un chevalier pour revêtir son armure complète.

— Pendant les longs sièges, les chevaliers organisaient parfois des tournois avec les ennemis pour chasser l'ennui.

— Lors du siège de la ville française de Calais, en 1346, un petit bourg temporaire avec habitations, échoppes et marché, fut édifié hors des murs pour que les soldats puissent attendre confortablement la reddition de l'ennemi.

— En général, dans les tournois, les chevaliers évitaient de se blesser trop violemment. Ainsi, lors des joutes, leurs lances au bout émoussé ne pouvaient transpercer les armures.

Ces hommes joutent avec des lances au bout émoussé. Ils portent des protections supplémentaires sur les côtés, plus vulnérables aux coups.

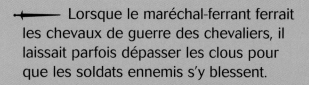

Réaliser une armure complète du XIVᵉ siècle nécessitait le travail de six corps de métier. Le batteur d'armure martelait les plaques pour les adapter à la morphologie du chevalier, le serrurier fabriquait les charnières, le spécialiste de la maille fabriquait la cotte de mailles pour protéger les articulations, le polisseur polissait l'armure et le graveur la décorait.

Les chevaux qui portaient les chevaliers à la bataille étaient particulièrement grands et robustes. Ils pesaient environ deux fois plus que les autres.

Lorsque le maréchal-ferrant ferrait les chevaux de guerre des chevaliers, il laissait parfois dépasser les clous pour que les soldats ennemis s'y blessent.

En 1212, des milliers d'enfants partirent en croisade vers la Terre sainte. Aucun, toutefois, n'atteignit son but et très peu rentrèrent chez eux. Beaucoup furent tués, d'autres capturés et vendus comme esclaves.

Aux XIVᵉ et XVᵉ siècles, l'Italie était un des principaux centres de fabrications d'armures. Des villages entiers se consacraient à cette industrie, fabriquant ces pièces à tour de bras.

Au cours des tournois, les dames offraient parfois aux chevaliers un ruban ou une écharpe à porter durant l'épreuve. En l'affichant, le chevalier indiquait qu'il dédiait son combat à la belle.

Pendant les croisades, les soldats mouraient plus souvent de maladie que des blessures infligées lors de batailles.

Les assaillants d'une ville ou d'un château renvoyaient parfois dans l'enceinte du château la tête mutilée de leurs ennemis ou des messagers à l'aide d'un trébuchet.

Utiliser Internet........................

Il te suffit d'un ordinateur de base et d'un navigateur (logiciel permettant aux internautes de trouver les sites créés sur le Web) pour accéder à la plupart des sites Web proposés dans ce livre. Voici les quelques éléments indispensables :

- un PC équipé de Microsoft© Windows© 98 ou version ultérieure, ou un Macintosh Power PC système Mac OS 9 ou ultérieur, et 64 Mo de RAM,
- un navigateur de Web tel que Microsoft© Internet Explorer 5 ou Netscape© Navigator 6 ou toute version plus récente,
- une connexion à Internet via un modem (de préférence à la vitesse de 56 Kbps), une ligne numérique ou par câble,
- un fournisseur d'accès,
- une carte son pour écouter les fichiers son.

Les modules externes

Les programmes additionnels, appelés modules externes ou plug-in, te permettent de consulter des sites Web contenant du son, des vidéos ou des animations et images en 3D. Si tu accèdes à un site sans le module externe nécessaire, un message apparaît à l'écran t'indiquant comment le télécharger. Si cela n'est pas le cas, connecte-toi sur notre site **Quicklinks** et clique sur **Besoin d'aide ?**
Tu y trouveras des liens te permettant de télécharger tous les modules externes désirés. Voici une liste des modules dont tu pourrais avoir besoin :

RealOne Player® — pour voir de la vidéo et écouter des séquences sonores,
Quicktime® — pour voir en vidéo,
Shockwave® — pour voir les animations et les programmes interactifs,
Flash™ — pour voir les animations.

Aide

Si tu as besoin d'aide ou de conseils sur l'utilisation d'Internet, clique sur **Besoin d'aide ?** sur notre site : **www.usborne-quicklinks.com/fr**. Pour plus d'information sur comment utiliser ton navigateur de Web, clique sur le bouton **?** de la barre de menu située dans la bordure supérieure de ton navigateur. Clique ensuite sur **Sommaire et index** pour accéder à la base de données de recherche qui contient de nombreuses informations utiles.

La sécurité sur Internet

Reporte-toi à La sécurité sur Internet au début du livre. Pour en savoir plus à ce sujet, va sur **Besoin d'aide ?** sur **Quicklinks**.

Les virus

Un virus est un petit programme capable de provoquer d'importants dégâts sur ton ordinateur. Tu peux involontairement introduire un virus sur ton ordinateur en téléchargeant sur Internet un programme infecté ou en ouvrant un fichier infecté joint à un message électronique. Nous te recommandons vivement d'acheter un logiciel antivirus pour protéger ton ordinateur et de le mettre à jour régulièrement. Pour plus d'informations sur les virus, clique sur **Besoin d'aide ?** sur **Quicklinks**.

Index

Les numéros de page en **gras** renvoient à l'explication principale du mot. En *italique*, ils renvoient aux illustrations.

Remerciements

Tous les efforts ont été faits pour retrouver les détenteurs de copyright des matériaux de ce livre. S'il se trouve que des droits ont été oubliés, les éditeurs proposent de rectifier l'erreur dans les rééditions qui suivront la notification. Les éditeurs remercient les personnes et organismes suivants pour leur autorisation de reproduire du matériel (h = haut, m = milieu, b = bas, g = gauche, d = droite) :

Photographie de couverture Neil Francis, remerciements aux Arms and Archery ; **p. 1** © Archivo Iconografico, S.A./ CORBIS ; **pp. 2-3** © Archivo Iconografico, S.A./CORBIS ; **p. 4** © The Board of the Trustees of the Armouries ; **p. 5** (hg) © The Board of the Trustees of the Armouries, (hm) © The Art Archive/Album/Joseph Martin, (hd) © Cadw : Welsh Heritage Monuments Crown Copyright, (b) © Bibliothèque Nationale, Paris, France/Bridgeman Art Library ; **p. 7** (bg), (m) et (b) Photos d'armes médievales avec l'aimable autorisation de Global Outlet, 3324 N. Harlem Ave. Chicago, Illinois 60634, État-Unis, (d) Digital Artwork Image © Skip Moore ; **p. 8** (d) Photos avec l'aimable autorisation de Christian H. Tobler, (bg) © The Board of the Trustees of the Armouries ; **p. 9** (h) © Nik Wheeler/CORBIS, (bd) © Charles & Josette Lenars/CORBIS ; **p. 10** © Philadelphia Museum of Art/ CORBIS ; **p. 11** © Christie's Images, Inc./Christie's Images. Tous droits réservés ; **pp. 12-13** © Derek Croucher/CORBIS ; **pp. 14-15** © The Malcolm Group Events Limited, Festival médieval du château Herstmonceux, arrière-plan © Ted Spiegel/ CORBIS, arrière-plan © Raymond Gehman/CORBIS ; **p. 18** © Chris Hellier/CORBIS ; **p. 19** Copyright de la Couronne reproduit avec l'aimable autorisation de Historic Scotland ; **p. 21** Photographies avec l'aimable autorisation de John Goodall ; **p. 23** (bd) © The British Library/Heritage-Images ; **p. 24** © Pete Dancs/Getty Images ; **p. 25** (hg) © Archivo Iconografico, S.A./ CORBIS ; **p. 28** (hd) © Mary Evans Picture Library ; **p. 29** (mg) © Philadelphia Museum of Art/CORBIS, (bd) © Avec l'aimable autorisation de la British Library, add. 38537 f29. ; **p. 30** (©) The Art Archive/Bibliothèque Nationale Paris/Harper Collins Publishers ; **p. 31** (bg) et (bm) © National Museums of Scotland/Bridgeman Art Library, (bd) © Biblioteca Monasterio del Escorial, Madrid, Espagne/Bridgeman Art Library ; **p. 32** (m) The British Museum/Bridgeman Art Library, (bd) © Mary Evans Picture Library ; **p. 33** The Art Archive/Musée Condé Chantilly/Dagli Orti ; **p. 34** © The Art Archive/British Library/British Library ; **pp. 36-37** © Arthur Thévenart/CORBIS ; **p. 36** (hd) © The Master and Fellows of Corpus Christi College, Cambridge ; **p. 37** (hg) Photo avec l'aimable autorisation de Brotherhood of Blessed Gérard, (mg) Photographie reproduite avec l'aimable autorisation du Museum of the Order of St. John, St. John Ambulance, (md) © Order of St. John ; **p. 38** (hd) © The Art Archive/Musée Condé Chantilly/The Art Archive, (bg) © The Art Archive/Castello di Manta Asti/Dagli Orti (A) ; **p. 39** (hd) © Archivo Iconografico, S.A./CORBIS, (b) © Historical Picture Archive/CORBIS ; **p. 40** © Archivo Iconografico, S.A./CORBIS ; **p. 41** (m) © English Heritage/Heritage-Images, (b) © Historical Picture Archive/ CORBIS ; **p. 42** (b) © The British Library/Heritage-Images ; **p. 43** (hd) © Angelo Hornak/CORBIS, (g) © The Art Archive/ Canterbury Cathedral/Eileen Tweedy ; **pp. 44-45** © Patrick Ward/ CORBIS

Nos remerciements également à l'English Heritage pour leur aimable autorisation d'utiliser leurs photos, pages 6 (g) et (d) et 26 (hg).

English Heritage est un organisme indépendant, financé par le gouvernement, chargé du patrimoine historique de l'Angleterre. Il a pour but de protéger le patrimoine architectural et archéologique unique du pays pour le profit des générations à venir.

Responsable maquette : Mary Cartwright.
Traitement des images numériques : Mike Wheatley. Iconographie : Ruth King.
Avec nos remerciements à Susanna Davidson, Neil Francis, Abigail Wheatley et Alice Pearcey.